3

Con mi ordenador he descubierto que puedo hablar con mis amigos que viven en otros países del mundo. El dibujo (1) de la ventana general (2) me indica el recorrido que debo seguir para poder ver cada cosa (3) en detalle.

À travers mon ordinateur je me suis aperçu que je pouvais parler avec mes amis qui vivent dans les autres nations du monde. Le dessin (1) de la fenêtre générale (2) montre le parcours à suivre pour explorer en détail chaque élément (3).

Conception: I Dioscuri, Gênes
Illustrations: Barbara Vagnozzi
Rédaction: Diego Meldi, Maria Cristina Carbone,
Andrea Venturini
Revision: Françoise Beguin, Paola Pioli, Lina Carla Bergonzoni,
Ingeborg Donhauser, Thomas Krüger, Wendy Marshall, Theresa Wenzel
Graphisme: Stefano Roffo

dictionnaire multilingue
À LA MAISON

PML
EDITIONS

DAS HAUS
die Küche
das Schlafzimmer
das Badezimmer
der Garten

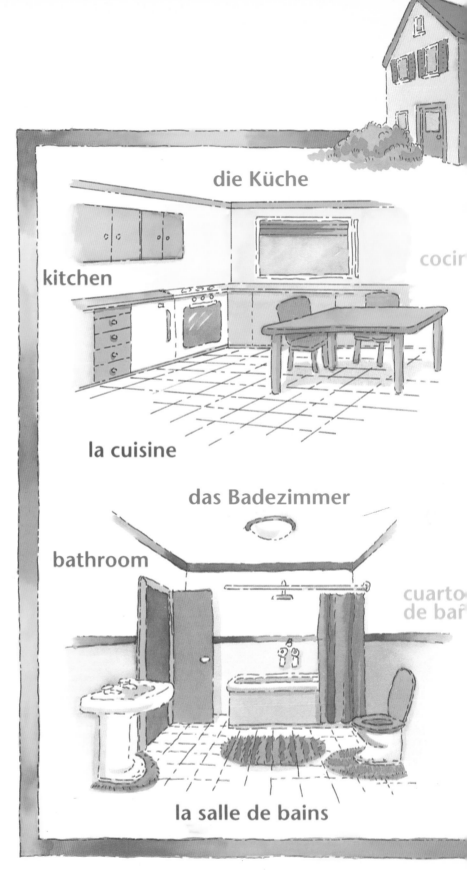

die Küche

kitchen

cocir

la cuisine

das Badezimmer

bathroom

cuarto
de bañ

la salle de bains

THE HOUSE
kitchen
bedroom
bathroom
garden

room

das Schlafzimmer

a chambre à
oucher

dormitorio

der Garten

rden

jardín

le jardin

CASA
cocina
dormitorio
cuarto de baño
jardín

LA MAISON
la cuisine
la chambre
à coucher
la salle de bains
le jardin

DIE KÜCHE
der Stuhl
das Messer
die Gabel
der Löffel
der Tisch
das Glas
der Teller
der Topf
der Herd
der Kühlschrank
die Flasche
der Toaster

THE KITCHEN
chair
knife
fork
spoon
table
glass
plate
pan
stove
refrigerator
bottle
toaster

der Stuhl
chair   silla
la chaise

das Messer
knife   cuchillo
le couteau

der Tisch
table   mesa
                la table

das Glas
glass   vaso
le verre

der Herd
stove   fuego
la cuisinière

der Kühlschrank
                frigo
refrigerator
le réfrigérateu

die Gabel
tenedor
fork
la fourchette

der Löffel
cuchara
spoon
la cuiller

der Teller
plato
plate
l'assiette

der Topf
olla
pan
la marmite

die Flasche
botella
bottle
la bouteille

der Toaster
tostador
toaster
le grille-pain

DAS SCHLAFZIMMER
das Bett
die Kommode
die Lampe
der Vorhang
Bücher
der Teddybär
der Wecker
der Spiegel
der Schreibtisch
die Landkarte
die Modelleisenbahn
Pantoffeln

THE BEDROOM
bed
chest of drawers
lamp
curtain
books
teddy bear
alarm clock
mirror
desk
wall map
electric train
slippers

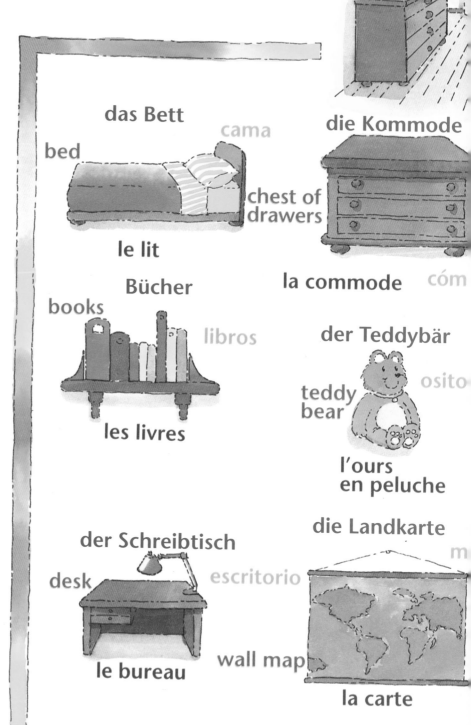

das Bett
cama
bed
le lit

die Kommode
chest of drawers
la commode
cóm

Bücher
books
libros
les livres

der Teddybär
teddy bear
osito
l'ours en peluche

der Schreibtisch
desk
escritorio
le bureau

die Landkarte
m
wall map
la carte

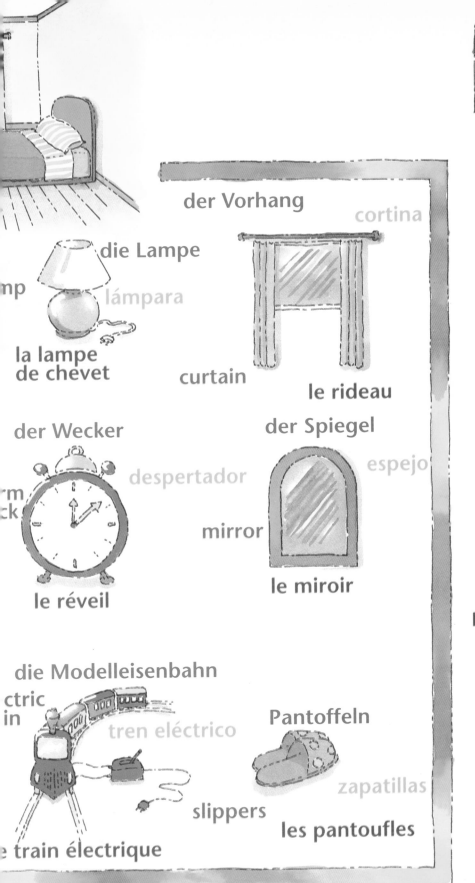

der Vorhang

cortina

die Lampe

lámpara

lamp

la lampe
de chevet

curtain

le rideau

der Spiegel

espejo

der Wecker

despertador

mirror

alarm
clock

le miroir

le réveil

die Modelleisenbahn

Pantoffeln

electric
train

tren eléctrico

zapatillas

slippers

les pantoufles

le train électrique

DAS BADEZIMMER
die Badewanne
die Dusche
das Waschbecken
die Toilette
der Wasserhahn
die Zahnbürste
die Zahnpasta
der Fön
das Handtuch
der Kamm
der Schwamm
das Make-up

THE BATHROOM
bath
shower
washbasin
toilet
tap
toothpaste
toothbrush
hair-dryer
towel
comb
sponge
make-up

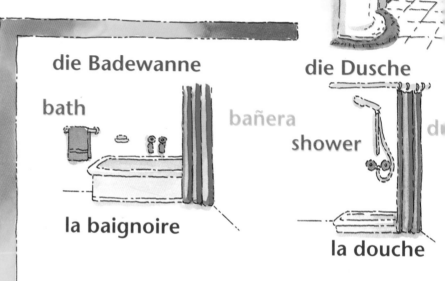

die Badewanne

bath

bañera

la baignoire

die Dusche

shower

la douche

der Wasserhahn

tap grifo

le robinet

die Zahnpasta

dentífr

tooth-paste

le dentifrice

das Handtuch

towel toalla

la serviette

der Kamm

pei

comb

le peigne

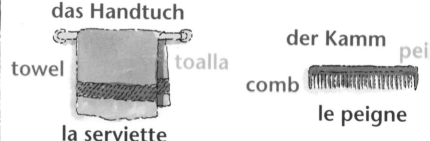

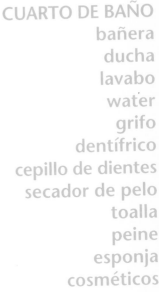

CUARTO DE BAÑO
bañera
ducha
lavabo
water
grifo
dentífrico
cepillo de dientes
secador de pelo
toalla
peine
esponja
cosméticos

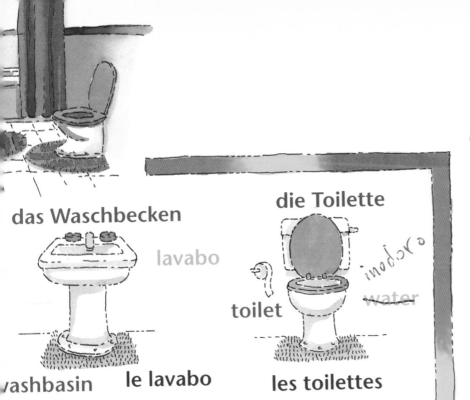

das Waschbecken

lavabo

washbasin   le lavabo

die Toilette

toilet

inodoro

water

les toilettes

die Zahnbürste

cepillo
de dientes

tooth-
brush

la brosse
à dents

der Fön

secador
de pelo

hair-
dryer

le séchoir

der Schwamm

ponge   esponja

l'éponge

das Make-up

cosméticos

make-up

les produits
de beauté

LA SALLE DE
BAINS
la baignoire
la douche
le lavabo
les toilettes
le robinet
le dentifrice
la brosse à dents
le séchoir
la serviette
le peigne
l'éponge
les produits de
beauté

DER GARTEN
die Schaukel
das Beet
das Gartentor
die Schaufel
der Baum
das Gras
die Gießkanne
die Gartenlampe
der Rasenmäher
die Schubkarre
der Rechen
Saatkörner

GARDEN
swing
flowerbed
gate
shovel
tree
grass
watering can
outdoor lamp
lawn mower
wheel barrow
rake
seeds

die Schaukel
columpio
swing
la balançoire

das Beet
flowerbed
parter
le parterre de fleu

der Baum
tree
árbol
l'arbre

das Gras
hie
grass
le gazon

der Rasenmäher
lawn mower
la tondeuse à gazon
segadora de césped

die Schubkarre
wheel barrow
la brouette
carretil

die Schaufel

das Gartentor

azada

shovel

la pelle

verja

la grille

die Gartenlampe

ie Gießkanne

outdoor
lamp

farol

ring   regadera

la lampe
de jardin

l'arrosoir

der Rechen

Saatkörner

ake

rastrillo

seeds

semillas

a râteau

les graines

DIE SCHULE
das Klassenzimmer
die Turnhalle
die Musikstunde
die Schulkantine

das Klassenzimmer

classroom

clase
aula

la salle de classe

die Musikstunde

lecció
de m

music
lesson

la leçon de musique

THE SCHOOL
classroom
gym
music lesson
canteen

die Turnhalle

gimnasio

le gymnase

die Schulkantine

teen

refectorio

le réfectoire

DAS KLASSENZIMMER
die Schulbank
das Lehrerpult
die Lehrerin
Schüler
die Tafel
der Globus
die Schulmappe
das Schulheft
der Bleistiftspitzer
der Füller
der Bleistift
das Klassenbuch

THE CLASSROOM
desk
teacher's desk
teacher
pupils
blackboard
globe
satchel
exercise book
pencil sharpener
pen
pencil
register

die Schulbank
desk
banco
le pupitre

das Lehrerpul
teacher's desk
cát
le bureau

die Tafel
blackboard
pizarra
le tableau noir

der Globus
globe
mapam
la mappemonde

der Bleistiftspitzer
pencil sharpener
sacapuntas
le taille-crayon

der Füller
plu
pen
le stylo

die Lehrerin

...her   maestra

la maîtresse

Schüler

pupils

les élèves   alumnos

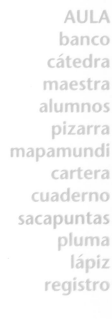

...ie Schulmappe

cartera

...el

le cartable

das Schulheft

exercise book   cuaderno

le cahier

der Bleistift

lápiz

...ncil

le crayon

das Klassenbuch

4B

register   registro

le registre d'absences

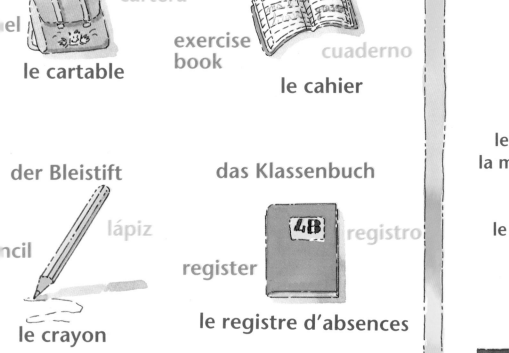

DIE TURNHALLE
die Sprossenwand
der Ball
der Reifen
Keulen
die Trillerpfeife
Gewichte
die Turnschuhe
der Trainingsanzug
der Schwebebalken

THE GYM
wall bars
ball
hoop
clubs
whistle
weights
gym shoes
track suit
bar

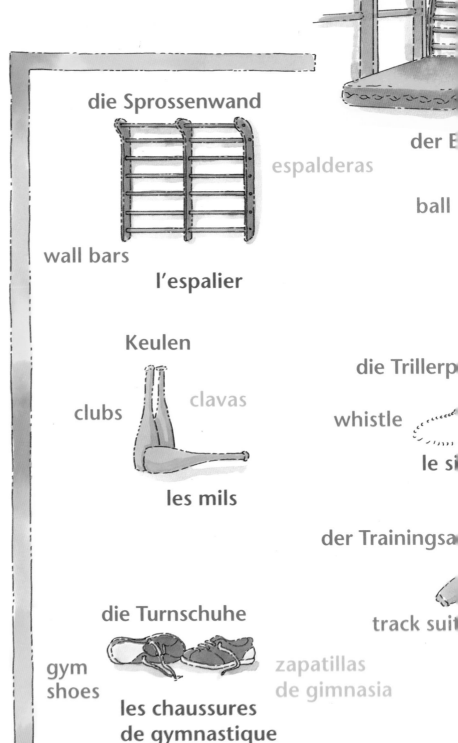

die Sprossenwand

espalderas

der B

ball

wall bars

l'espalier

Keulen

clubs   clavas

les mils

die Trillerp

whistle

le si

der Trainingsa

track suit

die Turnschuhe

gym shoes   zapatillas de gimnasia

les chaussures de gymnastique

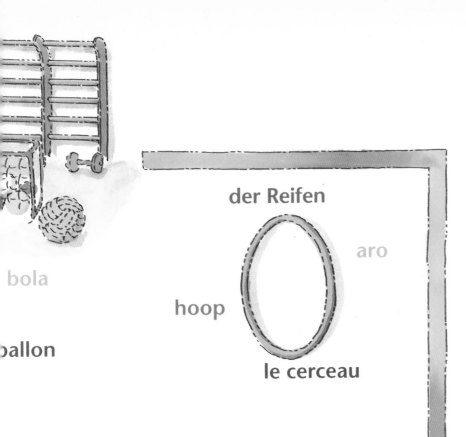

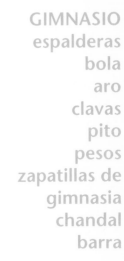

der Reifen

aro

hoop

bola

ballon

le cerceau

GIMNASIO
espalderas
bola
aro
clavas
pito
pesos
zapatillas de
gimnasia
chandal
barra

Gewichte

pito

weights

pesos

les haltères

LE GYMNASE
l'espalier
le ballon
le cerceau
les mils
le sifflet
les haltères
les chaussures
de gymnastique
le survêtement
la poutre

der Schwebebalken

andal

bar

barra

survêtement

la poutre

DIE MUSIKSTUNDE
die Noten
die Blockflöte
die Gitarre
das Klavier
die Geige
die Partitur
der Geigenbogen
die Trompete
die Trommel

MUSIC LESSON
notes
flute
guitar
piano
violin
score
bow
trumpet
drum

die Noten

notas

notes

les notes

das Klavier

piano

piano

le piano

die Geige

violin

vi

le violon

der Geigenbogen

die Trom

bow   arco

trumpet

l'archet

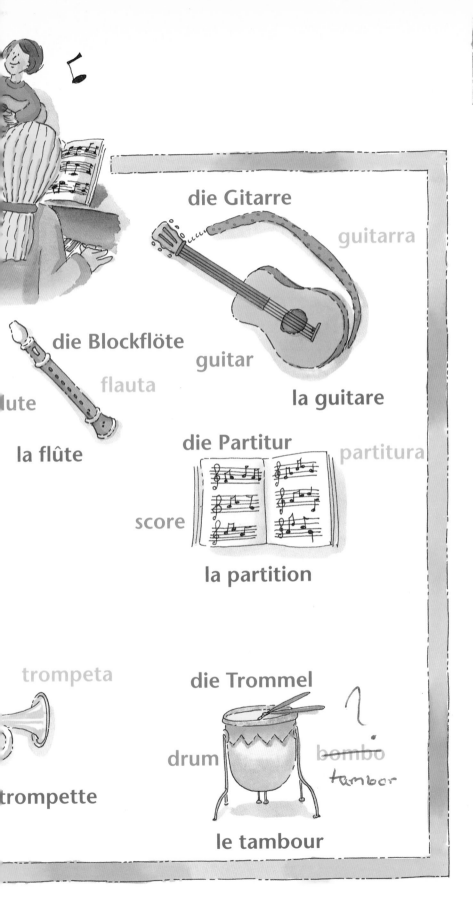

die Gitarre

guitarra

die Blockflöte

guitar

flauta

lute

la guitare

la flûte

die Partitur

partitura

score

la partition

trompeta

die Trommel

drum

bombo

tambor

trompette

le tambour

DIE
** SCHULKANTINE**
der Koch
ein Teller Suppe
das Brathähnchen
Kohle
das Salz
das Öl
der Essig
das Wasser
der Fruchtsaft

der Koch

cook   cocinero

le cuisinier

ein Teller
Suppe

a bowl
of soup

Kohle

coles

cabbages

les choux

das

sal

der Essig

vinagre

vinegar

le vinaigre

das Wa

water

THE CANTEEN
cook
a bowl of soup
roast chicken
cabbages
salt
oil
vinegar
water
fruit juice

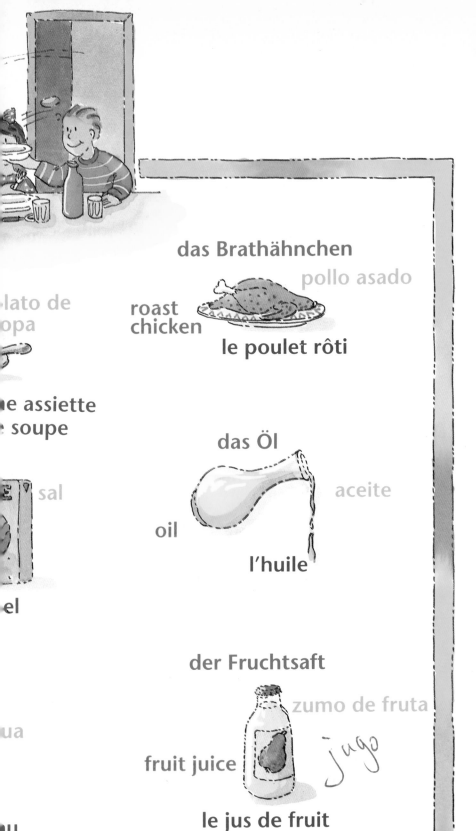

das Brathähnchen

pollo asado

roast
chicken

le poulet rôti

das Öl

aceite

oil

l'huile

der Fruchtsaft

zumo de fruta

jugo

fruit juice

le jus de fruit

-lato de
opa

e assiette
soupe

sal

el

ua

u

EL REFECTORIO
cocinero
plato de sopa
pollo asado
coles
sal
aceite
vinagre
agua
zumo de fruta

LE RÉFECTOIRE
le cuisinier
une assiette de
soupe
le poulet rôti
les choux
le sel
l'huile
le vinaigre
l'eau
le jus de fruit

DER PARK
der Zoo
der Kiosk
der Teich
der Spielplatz

der Zoo

zoo

le zoo

parque
zoológi

der Teich

pond

THE PARK
zoo
refreshment bar
pond
playground

le bassin

estanq

der Kiosk

reshment
r

quiosco

la buvette

der Spielplatz

juegos

parque

layground

l'aire de jeux

LE PARC
le zoo
la buvette
le bassin
l'aire de jeux

DER ZOO
der Affe
der Seehund
der Löwe
die Giraffe
der Pinguin
der Panda
das Nashorn
der Bär
der Tukan
der Elefant
das Nilpferd
das Känguruh

THE ZOO
monkey
seal
lion
giraffe
penguin
panda
rhinoceros
bear
toucan
elephant
hippopotamus
kangaroo

der Affe
mono
monkey
le singe

der Seehund
seal
le phoque

penguin
der Pinguin
pinguino
le pingouin

der Panda
panda
le pan

toucan
der Tukan
tucán
le toucan

der Elefant
elef
elephant
l'éléphan

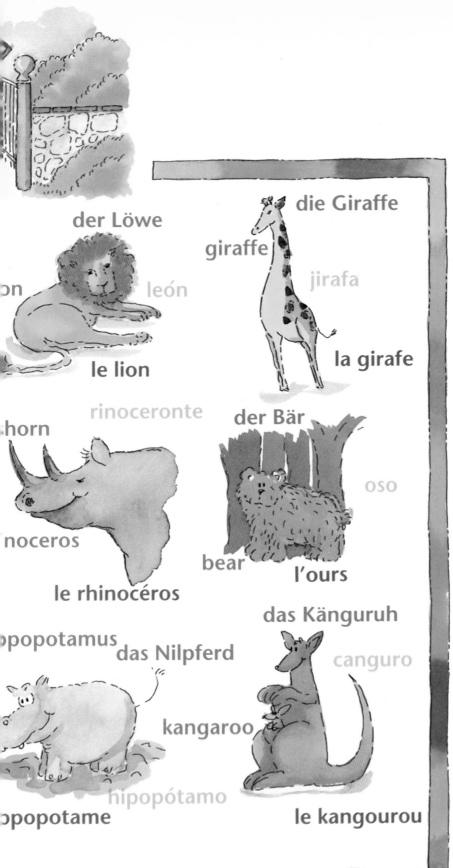

der Löwe

león

le lion

die Giraffe

giraffe

jirafa

la girafe

der Bär

bear

l'ours

rinoceronte

horn

noceros

le rhinocéros

oso

ppopotamus

das Nilpferd

kangaroo

hipopótamo

ppopotame

das Känguruh

canguro

le kangourou

DER KIOSK
der Eismann
der Lutscher
der Sandwich
die Markise
der Kaugummi-
automat
das Eis
Erdnüsse
die Schürze
die Dose
Pommes frites
das Schild
die Preisliste

**THE
REFRESHMENT BAR**
ice-cream man
lollipop
sandwich
awning
bubble gum
machine
ice-cream
peanuts
apron
can
chips
sign
price list

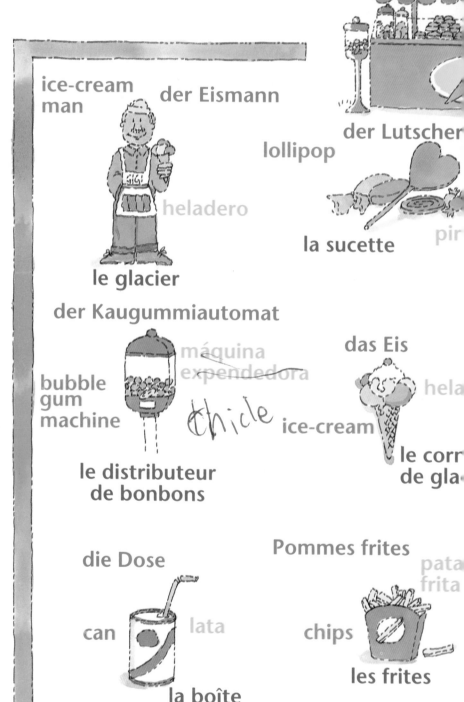

ice-cream man   der Eismann

heladero

le glacier

der Lutscher

lollipop

la sucette   pir

der Kaugummiautomat

bubble gum machine

máquina expendedora

chicle

ice-cream

le distributeur de bonbons

das Eis

hela

ice-cream

le corr de gla

die Dose

can   lata

la boîte

Pommes frites

pata frita

chips

les frites

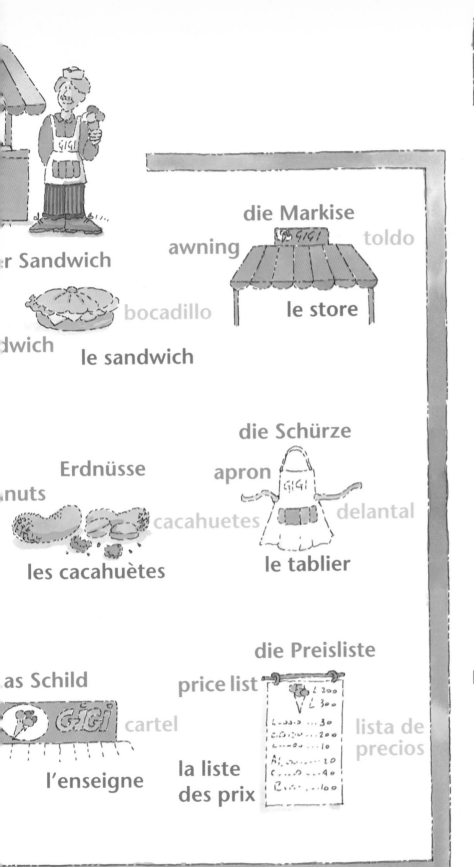

r Sandwich

bocadillo

dwich

le sandwich

Erdnüsse

nuts

cacahuetes

les cacahuètes

as Schild

cartel

l'enseigne

die Markise

awning   toldo

le store

die Schürze

apron   delantal

le tablier

die Preisliste

price list   lista de
                    precios

**la liste
des prix**

EL QUIOSCO
heladero
pirulí
bocadillo
toldo
máquina
expendedora
helado
cacahuetes
delantal
lata
patatas fritas
cartel
lista de precios

LA BUVETTE
le glacier
la sucette
le sandwich
le store
le distributeur de
bonbons
le cornet de glace
les cacahuètes
le tablier
la boîte
les frites
l'enseigne
la liste des prix

DER TEICH
der Wasserstrahl
der Schwan
der Goldfisch
das Segelboot
die Seerose
die Seejungfrau
Vögel
der Schmetterling
die Ente

THE POND
water jet
swan
goldfish
toy boat
water lily
mermaid
birds
butterfly
duck

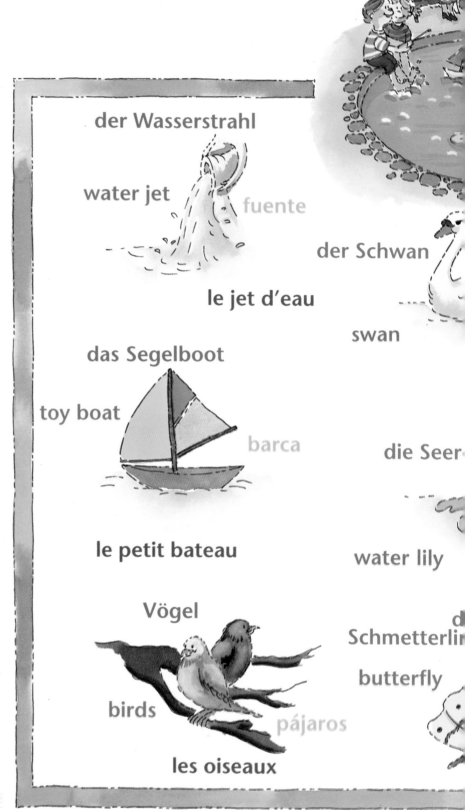

der Wasserstrahl

water jet

fuente

le jet d'eau

der Schwan

swan

das Segelboot

toy boat

barca

die Seer

water lily

le petit bateau

Vögel

birds

pájaros

les oiseaux

d
Schmetterli

butterfly

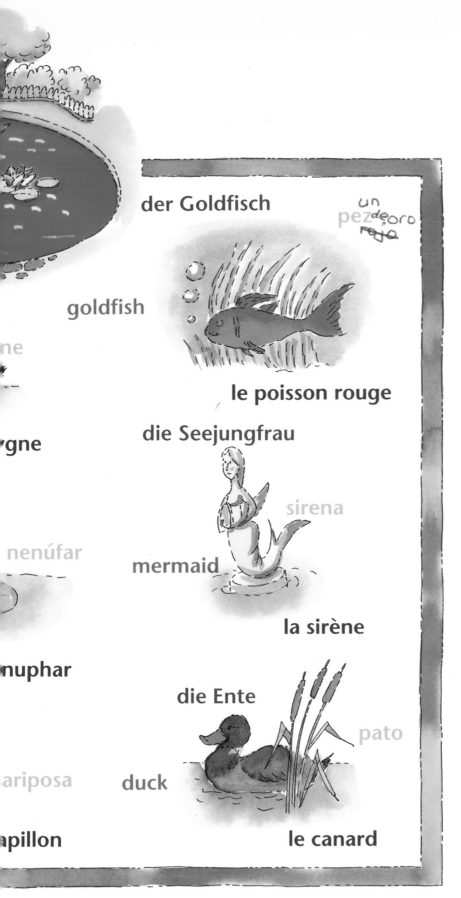

der Goldfisch

un pez ~~de oro~~ rojo

goldfish

le poisson rouge

die Seejungfrau

sirena

mermaid

la sirène

die Ente

pato

duck

le canard

nenúfar

nuphar

ariposa

apillon

ne

gne

DER SPIELPLATZ
die Rutsche
der Sandkasten
der Drachen
das Karussell
der Basketballkorb
das Skateboard
das Tischtennis
das ferngesteuerte
  Flugzeug
das Seil
der Kletterbalken
das Schaukelpferd
das Fahrrad

PLAYGROUND
slide
sand pit
kite
merry-go-round
basket
skateboard
ping-pong
remote controlled
  aeroplane
skipping rope
jungle gym
hobby-horse
bike

die Rutsche

slide   tobogán

le toboggan

der Sandkaster

sand pit   are

le bac à sable

der Basketballkorb

canasta

basket   skateboard

le panier

das Skateboa

skateboard

le skateboard   patí

der Kletterbalken

escal

das Seil

skipping
rope   cuerda

jungle
gym

la corde à sauter   **la cage aux sing**

er Drachen

cometa

e cerf volant

das Karussell

merry-go-round

tiovivo

le manège

das ferngesteuerte Flugzeug

as Tischtennis

-pong

remote
controlled
aeroplane

ping-pong

l'avion téléguidé

avión
radio
dirigido

le ping-pong

s Schaukelpferd

das Fahrrad

bike

bicicleta

oy-
e

caballito
mecánico

le vélo

le cheval à
bascule

DAS VIERTEL
das
  Lebensmittel-
  geschäft
die Bäckerei
der Zeitungsstand
die Straße

das Lebensmittelgeschäft

grocery

tienda d
comesti

l'épicerie

der Zeitungsstand

quiosco d
periódico

newsstand

le kiosque à journaux

**THE
NEIGHBOURHOOD**
grocery
bakery
newsstand
street

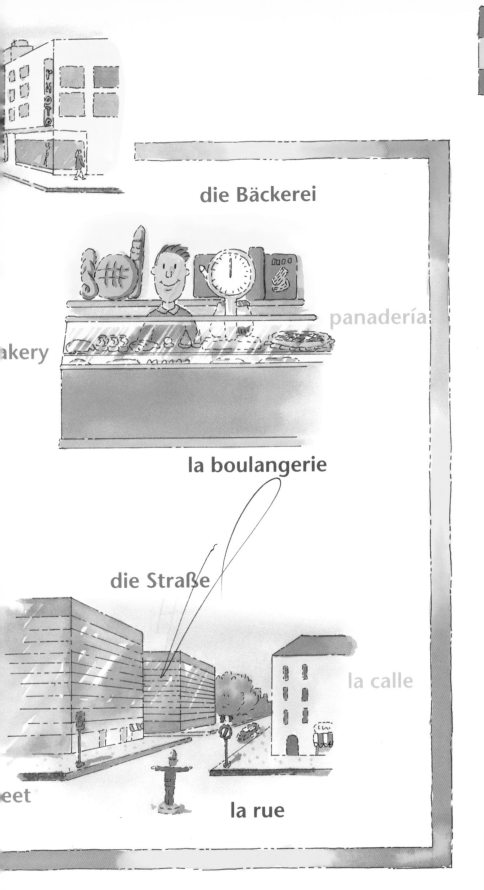

die Bäckerei

akery

panadería

la boulangerie

die Straße

la calle

la rue

DAS LEBENS-
** MITTELGESCHÄFT**
der Kaugummi
Pralinen
das Gebäck
der Zucker
der Honig
der Kaffee
die Lakritze
das Mehl
Gemüse

der Kaugummi

chewing-gum

chicle

le chewing-gum

Pralinen

chocolates

der Zucker

azúcar

sugar

le sucre

der H...

honey

THE GROCERY
chewing-gum
chocolates
biscuits
sugar
honey
coffee
liquorice
flour
beans

die Lakritze

regaliz

liquorice

la réglisse

das M...

flour

das Gebäck

biscuits galletas

ombones

chocolats

les biscuits

der Kaffee

café

miel

coffee

le miel

le café

arina Gemüse

beans judias

farine les haricots

DIE BÄCKEREI
das Brot
Nudeln
die Torte
der Bäcker
der Brotkorb
die Törtchen
das Hörnchen
die Marmelade
die Tüte

THE BAKERY
bread
pasta
cake
baker
basket
pastries
croissant
jam
bag

das Brot
bread   pan
le pain

der Bäcker
panadero
baker
le boulanger

das Hörnchen
croissant   croissant
le croissant

Nudeln
pasta

der Brotko

basket

Marmela
jam

pasta

pâtes

die Torte

pastel

cake

le gâteau

die Törtchen

cesta

pastries

pasteles

panier

les patisseries

LA BOULANGERIE
le pain
les pâtes
le gâteau
le boulanger
le panier
les patisseries
le croissant
la confiture
le sachet

die Tüte

mermelada

bolsa

bag

confiture

le sachet

DER ZEITUNGSSTAND
die Zeitung
die Zeitschrift
Comics
der Zeitungsverkäufer
Sammelbilder
die Musikkassette
die Videokassette
der Luftballon
das Plakat

THE NEWSSTAND
newspaper
magazine
comic
newsagent
stickers
cassette
videocassette
balloon
poster

newspaper **die Zeitung**

diario

le journal

die Zeitsch...

magazine

der Zeitungsverkäufer

Sammelbil...

vendedor
de
periódicos

newsagent **le marchand de journaux**

sticker

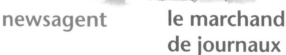

die Videokassette

videocassette videocassette

balloo...

la cassette vidéo

le ballo...

revista

Comics

comic

tebeo

la bande dessinée

revue

revista

die Musikkassette

cromos
adhesivos

cassette

cassette

s images

la cassette

Luftballon

das Plakat

globos

poster

cartel

l'affiche

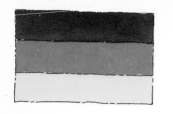

DIE STRASSE
der Gehsteig
die Verkehrsampel
das
  Verkehrszeichen
der Verkehrspolizist
das Schaufenster
der Hydrant
der Abfallkorb
der
  Fußgängerüberweg
die Telefonkabine
die Bushaltestelle
die Kehrmaschine
die Straßenlaterne

THE STREET
pavement
traffic-lights
road sign
policeman
shop window
fire hydrant
litter bin
zebra crossing
telephone box
bus stop
road-sweeper
street light

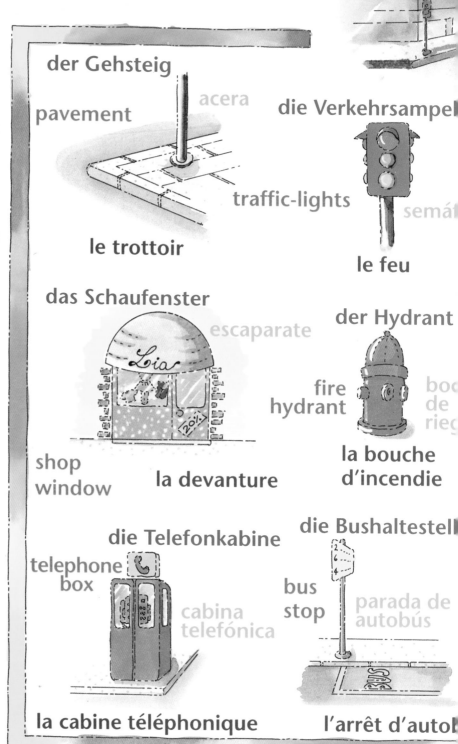

der Gehsteig

pavement

acera

le trottoir

die Verkehrsampel

traffic-lights

semáf

le feu

das Schaufenster

escaparate

shop
window

la devanture

der Hydrant

fire
hydrant

boc
de
rieg

la bouche
d'incendie

die Telefonkabine

telephone
box

cabina
telefónica

la cabine téléphonique

die Bushaltestell

bus
stop

parada de
autobús

l'arrêt d'autob

der Verkehrspolizist

s Verkehrszeichen

señal

sign

le signal

policeman

guardia municipal

l'agent de police

er Abfallkorb

der Fußgängerüberweg

tter bin

zebra crossing

papelera

oubelle

le passage clouté

paso de peatones

ie Kehrmaschine

die Straßenlaterne

máquina limpia-aceras

street light

farola

la balayeuse

d-sweeper

le réverbère

Mit meinem Computer habe ich entdeckt, daß ich mit Freunden sprechen kann, die in anderen Ländern auf der ganzen Welt wohnen.
Die Bilder (1) des Hauptfensters (2) zeigen mir den Weg an, um alle Dinge (3) ganz genau kennenzulernen.

I have learnt to speak to other people from different countries in the world by using my computer.
My computer also allows me to see everything in greater detail. You can see that on the screen (1), window 3 is an enlargement of window 2.

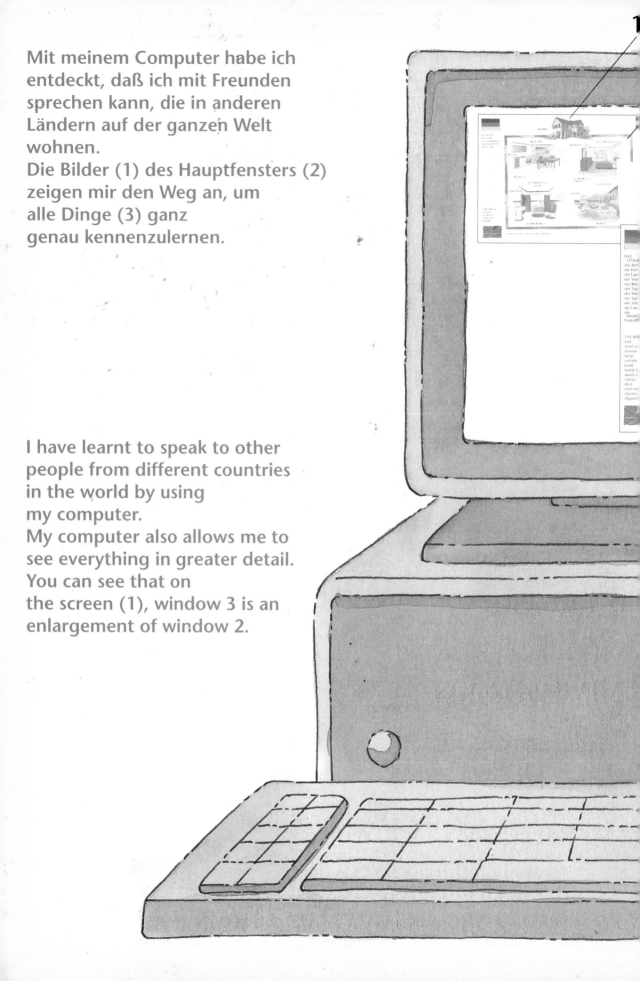